소네트히

... KB123543 ...는 길

랑이홍

시련마음을 달래며
불어보는 네오난시

송 휘령

계절이 피고 계절이 지는 그것에

시가 되어 걷는다.

공준상

이제는 두근거려도
되는 당신 ...♥

그대는 돌아보지 않고
찬란하게 진다

그대는 돌아보지 않고
찬란하게 진다

배성희

시는 오랜 연인과도 같습니다.
뜨겁게 타오르다가 한동안 차갑게 식기도 합니다.
대부분 내가 시를 찾아 나서지만
어쩌다 한 번씩 시가 나를 찾아올 때가 있습니다.
그런 새벽엔 잠이 오지 않습니다.
내 오랜 사랑의 시간을 누군가 읽고 기억해 주기를 바랍니다.
이따금 꺼내보는 편지가 되었으면 좋겠습니다.

instagram   @musai3535

『 모든 벽은 모서리에서 만난다 』

황의종

봄에 알에서 깬 애벌레는 보름에서 스무날 동안
땅을 온몸으로 기어 다니며 먹고 벗고 그렇게 성장한대요

번데기가 되어 따뜻한 바람에 따뜻한 꿈도 꾸고
그렇게 일주일에서 열흘이 지나면
비로소 나비가 되어 하루 이틀을 산다더라고요

늦봄에 태어난 애벌레가
나비가 되기까지 대략 한 달

사람으로 태어나 구순까지 산다 하더라도
저는 아직 번데기도 되지 못한

아기벌레 랍니다

좋은 기회에 좋은 사람들을 만나
허물을 하나 더 벗을 수 있어서
정말 행복했습니다

instagram   @euijong_dreammaker

『 시린 마음을 달래려 붙여보는 네모난 시 』

송휘령

문맥과 문맥의 골목길을
천천히 걸어보다가
단어 하나 낱자 하나
가로등처럼 불 밝힌 문장 하나
그리움으로 깊이 빠져든 날
글들의 골목길에 뜬
푸르른 달과 별은 낯설지가 않아
몇 개의 별들과 달을 뚝뚝 따서
세상에서 가장 따스한 요리를

가장 예쁜 접시에 담아
그리움으로 마음 시린
당신에게도 한 그릇

『 하늘 편지지에 구름 글씨 』

공준식

'나는 나로 인해
세상이 조금이나마 변할 것을 믿는다.'

나로 인해 누군가 힘을 얻고
그 사람으로 인해 또 다른 누군가가 힘을 얻고.

그렇게 나로 인해 내 주변이라는 작은 사회가
긍정적인 영향을 받을 수 있다면.

긍정적인 작은 사회들이 모여
세상이 조금이나마 변할 수 있지 않을까?

나로 인해.
그리고 너로 인해.

instagram   @junsikkong

『 이제는 두근거려도 되는 당신 』

배성희

...

모든 벽은 모서리에서 만난다

시인은 대지에 온전히 붙박이지 못한 채
깃발처럼 흔들리는 사람입니다.
검푸른 노을이 서러워 금세 길을 잃곤 하지요.
어느 날 문득 내가 지독히도 고독한 사람이라는 걸
자각한 이후로 지금껏 흔들리고 있습니다.
그러므로 이것은 흔들림의 기록입니다.

2021년 여름의 끝에서
배성희

한 남자

한 남자가 있네
종이봉지 속의 팝콘처럼 늘 유쾌하고 발랄한 그는
비만 오면 휘휘 휘파람 불지
내 한숨에 회색빛 날을 세우는 눅눅한 저녁
하필 그런 날
겉표지 뜯겨나간 책 한 권 챙겨 들고
제 비밀의 동굴로 들어가 문을 닫아거는 남자
그 육중한 단절 앞에서 한 번도
열려라 참깨 따위
주문 외워본 적 없지만
실은 나도 가끔은 휘파람을 불 때가 있지
단조로운 곡조로, 비 그치면
저 비 그치면

그런데 그 남자,
한참을 못 견디고 제가 먼저 주문을 외우고 말지
비도 그치기 전에 다시 휘파람 부는
갓 튀겨낸 팝콘처럼 유쾌하고 화사한 사내
사랑을 알아서
참 고독한 그 남자

다행이다

날이 좋았다
미친 듯이 바람 불고
머리카락을 산발한 채 나는 넋을 놓고
보드라운 바람결에 겹겹이 숨은
빗방울의 입자를 매만지고 있었다
다행이다
멀미처럼 바람이 일렁이고
그 바람이 봄비를 몰고 와서,
밤새 내리던 비 그치고
터질 듯 부풀어 오른 아침 햇살도
모든 날이 좋았던 건
같은 하늘 아래
눈물 나게 아름다운 그대가 있기 때문이다
다행이다
손 시린 겨울이 아니어서,
찬란한 봄날이라 다행이다
잠시 이별하기에는

손금

손금 봐줄게요
너무나 통속적이어서 나는
네가 좋았다
영험함 따위 없는 속된 사내여
내가 내민 손끝을 너는 그저 맞잡고 있었을 뿐
내가 지닌 깊은 강줄기에
손이나 담그고 있었을 뿐

시간의 칼날 위를
내내 휘청대며 걸어오다가
대상도 없는 악다구니에 목쉬어가다가
우연히 너를 보았다
건들건들 되바라져서는
입속 간질간질 눙치는 언사조차
속물 같은 사내여
너는 몰랐으리라,
내 노회함을, 손금 안에 깊이 숨어
굽이치는 시퍼런 강줄기를

손금 봐줄게요
애초에 영험함 따위도 없이 다가와서는

아, 시려
뼛속까지 시리도록 깊고 깊어
화들짝 놀라 뒷걸음질 치는 섣부른 사내
통속해서 아름다운

또 봄날

행복하냐고 물었다
내가 내게 속삭일 때
소심한 시선들은 서로를 회피하며
허공 어딘가에서
별똥별처럼 추락해 소멸되었다
모르겠다,
내 대답은 어눌하고
행복이란 단어는 지나치게 추상적이다
어쨌거나 5월의 햇볕은
어디서든 넘치게 흔하고
바람은 나뭇잎 사이로 살갑게 불어온다
봄은 사방에 가득 차 넘실대고
흘러넘칠 궁리를 하며
창 안을 넘보고 있다
봄이 일렁인다
현기증이 인다
봄은 지나치게 구체적이다
나는 잠시 경계심을 풀어도 좋을 것 같았다

회상

네 낡은 소매 끝에선 언제나 강물 냄새가 났다
이미 오래전 흘러간 물소리를 너는
늘 귀에 담고 다녔다
나는 한 번도 너를 제대로 알지 못했지만
우린 종종
그 강가에서 죽고 싶었다
우리가 나누었던 지극한 행복은 차마
산 자들의 것이 아니었으므로
우린 때때로 그 강가에 죽은 서로를 묻고
돌아서는 연습을 했다

어느 비 오는 새벽
저벅저벅
깊은 걸음으로 다가와서는
한 그루 미루나무로 서서 강의 소리를 전해주더니
너는 기어이 강을 따라
네 안의 바다로 흘러갔다
나는 한 번도 너를 제대로 안 적이 없었지만
내 귀엔 언제까지나
네가 흘리고 간 강물 소리가 들렸다

아마도 우린 사랑했을 것이다

그 여자

저녁 어스름
고즈넉한 미륵사지 겨드랑이쯤
있는 듯 없는 듯 들어앉은 찻집에
비 몇 방울 어깨에 얹고
소리 없이 미닫이문을 여는 여자
곡우 놓친 지 이미 오래
향취도 없는 녹찻잎이 쓰디쓴 전생을 우릴 때
차츰 굵어지는 빗줄기
후두둑 허물어지는 산 그림자
식은 찻잔을 그러쥔 그녀 팔에
먼지보다 가볍게 내려앉는 침묵
어둑한 산 그림자에 안긴 여자
선홍색 셔츠가 슬픈 여자
무너진 석탑 아래
한기 든 기다림이 내뱉는 기침 소리
그녀가 떠난 자리에
아직껏 남아있는 온기
탁자 위에 흘리고 간
미세한 그리움의 부스러기들
비는 점점 더 거세어지고
선홍색 셔츠의 그 여자
개와 늑대의 시간 속으로 떠나간

당신의 집

비 오는 밤
당신에게로 간다
당신 집으로 가는 길은 비좁고
어두운 길가에서 젖은 꽃들이
후둑후둑 관절을 꺾는다
뒤돌아보면 걸어온 길들이
수렁처럼 어둠 속으로 잠겨 든다
참 멀리도 와 버렸구나,
내가 내 귓가에 속삭인다
빗방울이 발목을 타고 오른다
가로등도 없는 숲길에서 나는
그만 길을 잃는다
대문도 없는 당신의 집
높은 담장이 하늘까지 솟은 집
당신의 안뜰은 너무도 깊고 깊어
날개 젖은 새도
비틀거리다 떠나버린다
너무 멀리 와 버렸구나,
젖은 발목으로 나는
흐릿해진 길 위에 서 있다
꺾어진 꽃 무더기 위로
비 내린다

찔레꽃

넌 찔레꽃 같아
하얗게 웃으며 그가 말했다
장미꽃 같아,
라고 말해 주지 않아서
난 내심 화가 났다
수없이 많은 봄들이 피었다 지고
하잘것없는 사연들을 끌어안은 채
우리는 속절없이 봄의 끄트머리로 밀려났다
지금은 이름조차 희미한 그대여
양지바른 언덕
희고 푸르른 찔레꽃 무더기를 나는
한참 동안 들여다본다
치약 거품처럼 환하게 웃고 있는,
봄이면 어김없이
찔레꽃으로 오는 사람아
찔레꽃 같은 사람아

모든 벽은 모서리에서 만난다

일산화탄소와 니코틴에 노출된 벽은
병색이 완연했다
익숙한 이름의 관계들이
메마른 무릎을 맞대고 앉자
어둑어둑 밤이 깊었다
우리의 언어는 번번이
탁자 모서리에 부딪혀 굴절되고
지친 사람들은 하나둘씩
벽으로 스며들기 시작했다
가벼운 악수가 널브러진 귀퉁이마다
아무렇게나 쌓이는 닳고 닳은 농담들
뱀처럼 똬리를 튼 담배 연기에
누군가는 미간을 찌푸렸지만
뿌연 삼차원에 감금당한 채
껌벅껌벅 눈이나 마주치고 마는 것이다
'지나다 들렀습니다'
길고 싱거운 주점 간판 아래
덩그러니 남겨진 우리,
동차원의 동지들은
서늘한 밤공기에 옷깃을 여미며
각진 서로의 어깨를
말없이 두드렸다

봄비

허락도 없이 창을 타넘어 들어왔다
오래 푸석해진 뇌는 우울해,
중얼거렸고
빈틈을 들켜버린 창틀은
물기를 머금어 몸이 부풀었다
창과 창틀은 삐걱삐걱
서로의 멱살을 잡았다
빗방울 사이를 헤집고 용케
바람이 불어왔다
앞마당 가득 넘실대는 어둠을
나는 그만 허락하고 싶었다
궤적이 불분명한 외로움과
외로움이 만나
대각선으로 흘러내리며 울었다
창과 창틀이 악수를 나누고
새벽은 깊었다
봄비, 푸른 안개

멀리서 바라보기

아름다운 사람을 본 적 있어요
깔딱 숨넘어가게 가파른 등성이를 간신히 지나와
잠시 걸음을 멈추었을 때
저만치 떨어진 언덕배기
성큼 키를 높이는 나무 한 그루

그대, 혹시 산행을 즐겨하나요
완만하든, 혹은 가파르든
어떤 경사면을 운명으로 지닌
거긴 빽빽한 숲
말라죽은 가지의 깊은 그늘
올라가든, 내려서든
결코 머물 수 없는 어둑한 상처

울창한 비자나무 숲에, 그대
마음 빼앗겨 본 적 있나요
십 미터쯤 거리를 두고 보면 좋을 원거리 미인을
그저 바라만 보았던 적이 있었나요,
아름다운 사람
아, 아름다운 그 사람에게
작은 새 한 마리
수도 없이 날려 보내며

애썼다

애썼다,
핏대 올리며 미워하고
가슴 시리게 그리워하고
애끓게 원망하다가
끝내는 사랑하고 마느라

죽이지 않을 만큼만 미워하고
가슴 터지지 않을 만큼만 그리워하고
죽지 않을 만큼만 사랑하느라
애썼다

그 덕에 아침이 오고
계절 사이마다 비가 내리고
새가 울고
잎새마다 햇살이 타는 것이다
그 덕에
살아있는 것이다

고등어

해 질 녘
고등어가 구워지는 동안
창문을 열고
오래 잊고 있었던 너를 집어 든다
너도 어디선가
식탁 앞에 앉았을 것이다
고슬고슬 윤기 나는 쌀밥 너머
노릇노릇 구워진
고등어 한 마리 놓여 있을까
생채기 난 시절을 묵묵히 흘려보낸
우리의 지금은 이토록 고요하구나
등 푸른 고등어 떼가 전생을 유영하는
봄날, 초저녁

아플 예정입니다

또 한 번의 계절이 지나갔습니다
계절과 계절 사이에선 자주
습한 바람이 불고
이방인처럼 비틀거리던 새벽마다
진통제 한 알을 삼키곤 했지요
돌이켜보면 사랑은 늘
행복보단 불행 쪽이었어요
시들어버린 기억을 손에 쥐고
들풀처럼 흔들리던 날들
그런데 추억은 언제나
미움보단 그리움을 품게 마련이어서
책갈피 마른 꽃잎들이
분홍빛 날개를 펄럭이며 날아오를 때
마음의 화단에서 무수히 피고 지는
한 무더기 그리움을 밟고 서서 휘청,
흔들리곤 하는 거지요
이제 막 또 하나의 계절을 보내고
오늘부터 잠시
아플 예정입니다

꽃이 졌다

떨어져 나뒹구는 목련꽃은
처연하게 아름다웠다
4월 빗줄기는 장마처럼 드세고
부서진 꽃잎들은 온몸으로 투항하는
백기 같았다
빗소리를 이불 삼아 잠든
그의 등짝이 서러워서 눈물이 났다
흰 꽃무덤 위로 벚꽃과 동백꽃이
겹으로 쓰러졌다
아름다운 건 서럽고
서러운 건 사랑이라는 걸
나는 애저녁에 알고 있었다
봄비 속에선 오고 가는 모든 목숨이
죄다 아름다웠고, 이제
나만 아름다우면 될 일이었다

비로소 알게 되는 것들

네가 멀리 달아나 버린 후
자주 거울을 보며 울었다
거울마다 푸른 이끼가 끼고
가끔 눈앞이 흐렸다, 정신을 차려 보면
계절이 하나씩 지나쳐 있었고
한 번 지나간 계절은
다시 돌아오는 법이 없었다
나는 부은 눈으로
멀리 떠나 버린 너를 생각했다
굵은 빗줄기는 계절 틈새를 가득 메우고
발자국을 찾아 헤매던 나는
종종 젖은 신발을 잃어버렸다
장마가 물러난 지평선 검푸른 노을은
이 세상의 것이 아니었고
아름다운 것들은 왜 하나같이
서러운 얼굴을 하고 있는지
나는 맨발로 낡은 거울 앞에 서서
이제는 전생이 된 네 모습을 떠올렸지만
가끔은 네 얼굴이 생각나지 않았다
아름다운 것들도 언젠가는
잊힌다는 것을

염려

그대가 염려됩니다
미세한 공기의 흐름에도 찌르르
살갗이 아픕니다
이런 저물녘이면 덩달아
마음 한편도 회색빛으로 차분해집니다
한 번도 그대에게 다가간 적 없지만 그대는
결코 낯선 타인이었던 적이 없습니다
그대 시선 따라
발걸음 멈춰 본 적 없지만
내 시선 어디쯤에는 늘
그대가 있었습니다
그대와 나의 거리는 억겁으로 아득했으나
나와 그대는 어쩌면 같은 배경 속에
내내 소소한 사물로 서 있었을 것입니다
여름의 초입에서 나는
대지에 온전히 붙박이지 못한 채로
깃발처럼 허공을 부여잡고 있습니다
약간의 편두통과
귀밑을 스치는 생경한 바람 속에서 그대는
우연인 듯 내 어깨를 두드립니다
그대가 염려됩니다
고즈넉한 낯빛이,
침묵으로 다져진 고른 숨결이

비밀의 바닷가

너는 하하,
웃었다
바닥까지 훤히 내비치는
맑은 웃음 뒤에서
새파란 초여름 하늘이 덩달아 웃었다
고운 모래를 사각사각 밟으며
너의 시선은
하얀 모래톱에서 파란 하늘로
파란 하늘에서 초록의 방풍림으로
그리고 은빛 수평선 끝까지
옮겨갔다,
자유롭게
햇살이 눈을 찌르자
잠시 미간을 찡그렸지만
너는 또 한 번 하하, 웃었고
네 커다란 손에 담긴
흔하디흔한 조약돌은
입을 열 듯 말 듯
이내 다물어버렸다
네가 그토록 좋아하는 바다
어딘지 모를 비밀의 해변에서

너를 영영 잃어버리고 난 후에야 나는
하하, 웃던
네 웃음 속에 숨은 어떤 슬픔을
얼핏 본 것도 같았다

어떤 기억

너는 꿈이 되어
언제나 내게로 온다
그때의 너는 애틋하고
때론 잔인하며
그리고 자주 아름다웠다
보잘것없는 추억은 뭉게구름처럼 부풀려지고
가려진 시간들은 갈수록 모호해진다
어떤 기억은 서랍 속에 잠들고
아픈 생채기는 화석이 되었구나
너를 그리워했던 나와
나를 애달파했던 네가
한 줄기의 시간 속에서 고요히
풍화되어가는 것을 본다
우리, 사랑이었을까?

아름답다

난데없이 장대비가 쏟아졌다
때 이른 무더위에
사흘을 앓고 난 후
자정 언저리에서 뒤척이다가
창밖 비에 젖은 나뭇잎에게
아름답다고 말해버렸다
그런 말을 하려던 게 아니었는데
상처 난 발등을 그림자 속에 감추고
나무는 조심스럽게 내 가슴팍으로 걸어 들어왔다
어쩌면 내가 먼저
네게로 걸어갔을지 모를
열대야
장대비 내리는 밤
제법 무성한 잎사귀를 흔들며
검게 젖은 시간을 견디고 선
이름 모를 작은 나무
나의 아름다운
푸른 나무 한 그루

수상한 시절

언제부턴가 우리는 더 이상
어깨를 부딪치지 않게 되었다
연등이 모조리 철거된 광장에는
흉흉한 소문만 무성하고
흔적 없이 져 버린 벚꽃을 따라
멀쩡한 이팝나무들이 하얀 눈꽃을
쿨럭쿨럭 게워냈다
우리는 저마다의 섬에 틀어박혀
밤마다 벽지에 손가락으로
꽃잎들을 그리고 또 그렸다
폭우와 폭염 사이에서
빨갛고 노랗고 하얀 꽃잎들이
피었다 지고, 피었다 지고
나중엔 피기도 전에 지고, 지고, 또 졌다
꽃잎을 모조리 잃어버린 우리는
밤마다 벽지에 손가락으로
사랑하는 사람들의 얼굴을 그렸다
빨갛고 노랗고 하얀 꽃들이
차가운 벽마다 다투어 피어났다
끝내 지지 않는 꽃
사람이 꽃이었다

기다림

그것은 멈춤이다
눈에 익은 사물이 일제히 입을 다물고
승객 없는 정거장처럼 뒤돌아선
적막한 풍경이다
바람마저 숨죽인 자정을
말벗도 없이 앉아보라
얼룩진 유리창 밖
후텁지근한 초여름이 멈춰 서 있고
나무들은 또 저대로 먹빛 하루 끝에
침묵으로 걸려 있나니
기다리는 사람도
오지 않는 사람도
다만 풍경화 속 한 점으로 고요한
그것은 멈춤
바람 한 점 없는

서른 즈음, 어느 낯선 포구에서

협소한 계단 끝
어둑하게 들어앉은 다방이
끄덕끄덕 졸고 있었다
소금기에 전 투박한 사내의 무릎에서
나이를 종잡을 수 없는 여인이
화들짝 몸을 일으켰다
땟물 얼룩진 붉은 소파에
엉거주춤 등을 기대자
내가 떠나온 곳의 기억이
꿈결처럼 희미해졌다
금색 테두리가 지워진 커피잔에선
비릿한 갯벌 냄새가 났다
빈 무릎의 사내가 들어 올린 잔 속에도
무료한 포말이 밀려와 고였다
쓴 커피를 한 모금 들이켜고 나자
마지막 버스가 떠나는 소리가 들렸다
파도는 검은 모래톱을 쓸어안고
자꾸만 뒤를 돌아보는데
석양 속으로 달려간 막차는
다시 돌아오지 않았다

일테면, 사랑은

안녕,
무성한 미루나무 잎들이 건네는 인사는 경쾌하다
여름 속에는 봄의 영혼이 숨어있다
선명한 손금 안에
미처 초록이 되지 못한 연둣빛이
가느다란 그물맥으로 남아있다
여름은 봄의 기억을 밟으며 온다
일테면, 초록은
연둣빛에 버무려진 몇 번의 비와 바람,
햇살 같은 것이다
봄에도
여름에도
가을에도
겨울에도
나는 언제나 너를 생각했고
이별은 지워지는 게 아니라
짙어지는 것이다, 일테면
선명한 여름에 몇 개의 기억이 더해져
가을이 오는 것처럼

일기예보

음험한 바람
아뢰야식을 들추고 회귀하는
무의식의 떨림
일기예보를 끄고 8월의 덧문을 닫는다
기억할 순 없으나
우리 처음 만나던 날의 바람도
그처럼 은밀했을 것이다
단 한 번의 눈 맞춤으로
단박에 불행해져버린
허나,
이제 우리들 손아귀는 공허하고
가을의 치마폭은 깊고도 치명적이다
여름의 껍데기를 붙들고 서성대는
마당의 잡초들
계단 끝에서 소멸하는
한 무더기의 시간
그리고
장대비

바람, 바람

바람 좋아하지 말라네요
인드라의 그물도 비켜 가는 허공이라나요
하긴,
옷깃 스친 바람이 주머니에 머무는 걸 본 적 없어요
공연히 가슴 열었다 내내 머리 풀고 우는
대숲의 하소연도 있다지요
바람 좋아하지 말라네요,
그 품에 안기는 건 허공뿐이라나요
아, 그런데
그런데요,
무방비의 찰나를 온통 흔들며 지나는
저건 무언가요?
인연의 그물망보다 더 촘촘한 가쁜 호흡을
반으로 가르는 저건!

가을 복판에서

산이 붉은 가슴 열어
작은 새들을 불러 모으는 초저녁
설익은 억새와 어깨를 겯고 나는
바람 속에 서 있었다
아직은 순응할 줄 모르는 푸른 머리칼이
자꾸만 바람의 뒤꿈치를 붙들고
나는 새가 내 어깨를 지나쳐
깊은 숲으로 숨어드는 이유에 대해
생각하고 있었다
순한 코스모스는 손아귀 힘을 풀고
웃으며 바람을 보내 주었다
그때마다 산은 조금씩 허리를 굽히고
하늘은 접힌 산허리를 숨죽여 끌어안았다
10월 한가운데서
웃지도 않고 생각에 잠긴 건
나뿐이었다
억새도 더 이상 고개를 갸웃거리지 않는
아, 가슴 깊은 가을 산언저리에서
영영 놓지 않을 것만 같았던 너를
가만히 놓아주었을 때
밤그림자 문득 길어지고
노을이 더 활활 타오르던 이유를
나는 오래오래 생각하고 있었다

망각

얇아진 정수리에서 바스락바스락
기억이 좀먹는 소리
저물녘에만 들리는 소리들
부드럽던 발뒤꿈치는 화석처럼 단단해졌다
갑골문자를 닮은 낙엽들
헐거워진 방충망을 스치고
마당 끝으로 몰려가 부스러진다
이해와 반목 사이에서 더 이상 방황하지 않아도 좋을
딱 그만큼의 너그러움이
단단히 봉인된 기억들을
한 조각씩 해체시키고 있다
너의 이름이 기억나지 않는 건
비로소 너를 놓았다는 것이다
한 줌의 시간을
망각의 강물 위에 방생했다는 것이다
나는 손아귀 힘을 풀고
기억나지 않는 어떤 이름을 떠올린다
쇠락한 마당 끝에서 한 뼘의 기억이
은은한 노을로 타오른다
일 년에 단 한 번
시가 나를 쓰는 계절
또 하나의 전생이 지워진다

건망증

담아 두어야 할 것들은 잊혀지고
묻혀 있던 기억들이 수면 위로
불쑥불쑥 튀어 오르는 것
무의식의 밑바닥에서
먼지와 뒤섞인 채 발견된 열쇠의
자물쇠를 찾느라 밤새 뒤척이는 것
흐릿한 지도
방사형의 길 가운데 서서
첫사랑의 정의를 내리려 애쓰는 일
둔감한 청춘의 둘레길에 흘리고 온
혼돈 한 조각
그리고 이윽고
가벼워지고 가벼워진 이름 석 자
가랑잎처럼 바스라져 흩어진다
그대 이름이 기억나지 않는 건
얼마나 다행스러운 일인가,
무뎌진 칼날로 심장을 베듯
하나도 아프지 않은 것
아무렇지도 않은 것

뒷모습

그대 뒷모습이 말을 걸어온다
치열했던 하루가
지평선 끝에서 시퍼렇게 부서진다
말 없는 말 한마디
미세하게 기울어진 어깨 위에
아슬아슬한 포즈로 매달려 있다
마모된 구두 뒤축은 다정하다,
다정한 뒤축 아래서 서걱서걱
서리 밟히는 소리 들린다
밝음과 어둠의 경계에서 그대는
잠시 머뭇거린다
그리고 이내 용감하게
어둠 속으로 한 발을 내딛는다
검푸른 노을 한 무더기가
조금은 지친 그대 어깨를
침묵으로 감싸 안는다
겨울의 초입에서 나는
그대 비대칭의 어깨 위에 얹힌
말 없는 말을 듣는다
장렬히 전사한 하루가 대기 속으로 스미고
밝음과 어둠의 경계가 무너진다
그리고 흐릿한 그대 뒷모습은
눈물겹도록 다정하다

속도

문을 열기도 전에
어느새 지척에 와 있었다
자물쇠 없는 열쇠를 들고
너는 나폴나폴 안뜰을 거닐었다
낡은 벤치는 아무렇지도 않게
왼쪽 가슴을 내어 주었다
마치 전생부터 기다려 온
오랜 인연을 만난 것처럼

나는 너의 이름을 묻지 않았다
다만 매끈한 손끝에서
뱅글뱅글 원을 그리며 빠르게 도는
열쇠의 자물쇠가 궁금했다
굳게 닫힌 철문이 덜컹대며
몸을 흔들며 울었고
마침내 내가 녹슨 기억 하나를
간신히 끄집어내었을 때
너는 막 떠날 결심이 섰다고 했다
이름도 모른 채 나는
너를 데려간 시간과
나를 둘러싼 낯선 공간에 대해
생각하고 또 생각할 뿐이었다

달라서 아프다

그것은 심연이다
아무리 손을 뻗어도 닿지 않는 거리에서
당혹감에 서늘해진 그대 눈빛에
심장이 찢기는 것이다
이해와
오해와
괴리와
간극
다른 은하에서 태어난 우리가
어쩌다 만난 시공간에서
낯선 서로를 붙잡으려 애쓰며
운명에 떠밀리고
또 떠밀리는
서글픈 체념
그것은 늦은 가을의 끝에서
겨울의 문을 여는 일이다
우리의 별자리는 너무나 멀고
그래서 아프다

술꾼

그가 늘 술에 지는 것은
술보다 그가 더
술을 사랑하기 때문일 것이다
더 많이 사랑하는 자의 눈물은
그보다 덜 사랑하는 자의 품으로
스며들기 마련이다
손끝에서 떨어진 술잔은
갈지자를 그리며 토악질을 하고
탁자는 한숨을 삼키며
젖은 흔적을 끌어안는다
굽은 그림자가
새벽의 발치에 널브러진다
아름다운 도미노
잠든 그의 등뼈는
하루살이를 닮았다

첫눈

눈이 내리기 시작했다
순식간에 계절이 바뀌고
너의 시선은 점선을 그리며
침묵의 강 저편으로 사라졌다
나뭇결 선명한 탁자 모서리
닳고 닳아 낡아버린 시간
첫눈을 밟으며
어설픈 사내의 팔짱을 끼고
맑은 속눈썹의 소녀가 창밖을 걸어갔다
네 개의 발자국은 서로를 껴안으며
길 끝까지 따라갔지만
그 길은 또 다른 길로 이어져 있었고
눈은 내렸다
빈 커피잔 속에서
무료하게 달그락거리는 헛기침
운명보다 지척인 네가 그어놓은
깊고 깊은 강
심지어 낯선 연인들이 다소곳이 흘리고 간
긴 말줄임표 위로도 흩날리는 눈발
눈은 쉬지 않고 내렸고
우린 작별했다
몇 가닥으로 갈라진 차디찬 길 위에서

그녀의 숲

그녀가 쌀을 씻는다
뜨뜻한 손가락 끝에서 부서지는 물보라
무지개도 없는
빛의 향연
어떤 그녀는 지금
울창한 숲에 있고
긴 겨울은 오래도록
푸른 소나무 아래 동면한다
눈은 내리고
바람이 늘 몸을 비끼는 방
정갈하게 차려진 저녁노을 한 대접
어깨에 솔잎을 흘린 여자
숲을 키우는 여자
젖은 그녀 손끝에서
부서져 흩어지는 물보라
찬란한 무지개는 없어도

오래된 책

바람이 불었다
오래된 책을 펼쳤더니
펄럭펄럭 바람 소리가 났다
책장마다 누렇게 세월이 배고
지금은 이름도 기억나지 않는
누군가의 메모가 적혀 있었다
어쩌면 그날도
바람이 불었던 모양이었다
그 바람이 여태
책갈피에 남아 있는 줄 몰랐다

거짓말

그렇게 불쑥불쑥 찾아오지 마
네 손을 잡기 전에는
창이라곤 없던 집인데
벌써 수십 개의 창문이
가슴을 여닫고 있어
제라늄 화분이 놓인 창틀마다
엎질러진 잉크처럼 번져 나가는
새빨간 통증
온종일 골목 끝을 서성대던 하루가
타오르는 노을 속에서
가슴을 움켜쥐고 쓰러지는데
그렇게 불쑥 찾아오지 마
아무 말 없이

농담

공원, 해 질 녘
개와 늑대의 시간 어디쯤
들개처럼 웅크리고 앉아
김광석을 들으며 울었다
내가 알았던 모든
개새끼들을 생각했다
나를 개새끼라고 기억할
모든 그대들도

사소한 말장난을 하며
서른 즈음의 김광석이 웃었다
몇십 년 후의 나도 웃었고,
문득 마음이 편안했다
이 세상 모든 개새끼들이
사랑스럽게 느껴질 지경이었다!
욕지기가 주는 정화
중년
어느 봄날 저녁의
농담

봄이 오면 헤어지자

우리,
이별은 잠시 미루자
길가 나무들 푸른 잎 다 보내고
어미 잃은 길고양이 울음소리도
얼어붙은 회색 담벼락 모퉁이에서
저리도 서럽지 않은가
낙엽들은 누울 자리를 찾아 헤매고
낡은 우체통은 이제 막
흐릿한 주소 한 줄을 지웠다
꼬깃꼬깃 구겨진 기억들 속
곱게 다림질한 네 웃음소리 한 줄로도
넘치게 아득한 계절이다
우리 이렇게 잠시 머물렀다
봄이 오면 헤어지자,
그렇게 하자

시인이여, 숲으로 가자

아름다운 사람을 보았을 때
그의 발아래 쓰러져 눕고 싶을 때
맛있는 음식을 먹었을 때
기름진 욕망이 목구멍 그득 차오를 때
사랑하는 사람을 잃어버린 후
아, 그 아득한 부재의 경계에서
무심코 밟은 클로버 잎들이
날카로운 비명을 질러댈 때
객사한 길고양이의
처참한 흔적과 마주쳤을 때
시인이여,
깊은 관념의 바다를 헤엄쳐
직관의 숲으로 가자
한 번도 죽은 적 없이 온통 살아있는
푸르른 숲으로 가자
거기서 기쁘게 죽자
죽어버리자

황의종

...

시린 마음을 달래려 붙여보는 네모난 시

따뜻하고 다정한 시의 위로도 좋지만
때론 차갑고 슬픈 시에게 위로를 받기도 하죠

10대 20대 30대를 살아가면서
스스로에게 차갑게 채찍질도 하고
따뜻하게 위로도 해주었던 저의 시가
이제 다른 이들을 보듬어 주려 합니다

시리도록 아픈 부분을 달래려
붙여보는 네모난 파스처럼
사람들의 아픈 마음 구석에
온찜질 혹은 냉찜질을 해주는
네모난 시였으면 좋겠습니다

2021.아기벌레 황의종

동행

추억을 수집하는 자
기억을 흘리며 걷는 자

그 발자국에
그리움과 보고픔이 묻어나
눈물로 채우리니

따라 걸으려는 자가 있어
내 옷깃을 당기면

나는 그 옆자리에 있겠노라

내 작은 그림자

어둡고 스산한 기억은
혼자라고 느껴질 때마다
그림자가 되어 찾아온다

밝은 곳에서 멀어질수록
어느새 내 키보다 커져
나조차도 삼켜내어 버린다

그런 모습을 누군가 볼까
손으로 붙잡으러 쫓아가면
자꾸만 더 멀리 도망가 버리더라

스스로 빛이 되어야 했다
거울을 보며 매일 웃어주었다
언제부턴가 그림자는 발밑에만 있더라

그제서야 그림자를 잊고 살게 되더라…

험난한 인생길에 자전거를 타자

젊은 '나'들이여 자전거를 타자

내가 발 구른 만큼 내가 땀 흘린 만큼
움직이고, 더 빨리도 달리는
이 자전거만큼 정직한 게 어디 있으랴

저 언덕 위까지 자전거를 타보자

땀방울은 내 뒤로
내 낯에 부딪치는 바람은 언제나 새 거
온몸으로 부딪치는 바람은 또 무엇이랴

저 언덕 위까지 자전거를 타보면

보이는 땅은 내 발 밑에
발을 쉬어도 구르는 바퀴 타고
더 쎈 바람 맞으며

내가 날아가느냐
귀찮은 그것조차 날아가느냐
언제고 다시 만날 오르막길이지만

그 뒤엔 언제나 날려버릴 내리막길이

이 기분을 안다면
멀리 보이는 언덕 자체가 기쁨이 아니랴

젊은 '나' 들이여 자전거를 타자

당신의 목소리

당신의 목소리가
음악을 안고 날아다녔으면 합니다

내 귓가에 맴돌다 안으로 살포시 안겨
가녀린 심장을 감싸 안아 주었으면 합니다

당신의 연주빛 입술에서 나온
따뜻한 목소리가 내 피부에 와 닿아
나를 감싸 안아 주었으면 합니다

당신이 나를 바라보면 덩달아 바라보고
당신이 눈을 감으면 덩달아 감고 싶습니다

아직 나를 향한 당신의 눈빛도
나를 위한 음성조차도 없었지만
계속 바라보고 있겠습니다

당신의 목소리가
음악을 안고 내게 날아 올 때까지…

비에 젖음을 생각하다

떨어지는 빗소리에
내 심장은 따라하고 싶어졌다

마구마구 튀어 오르는 빗방울처럼
내 피도 방울방울 튀어 오르고 싶어졌다

가만히 서서 창밖을 보기만 하는데도
내 몸은 견디기가 힘든가 보다

벌써 내 마음은 젖어 들고 있었는지
쏟아지는 빗줄기에 마음만은 촉촉하다

내 몸은… 내 마음은…
왜 이리도 비 맞는 걸 좋아하는지

옷 몇 벌 없는 주인으로써
머릿속만으로 비에 흠뻑 젖어주길

부탁드리는 수밖에…

종이학은 날 것이다

애초에 내가 접은 거북이는
하늘을 날 수 없었다

그것이 은박지로 접었든
금박지로 접었든 간에

조금 덜 생각하고
조금 덜 노력해서 접은 작은 거북이는

하늘을 향해 뛰어오르는 것조차
하지 못 했다

조금 더 생각해 볼 것을
조금 더 노력해 볼 것을

지금은 학을 접고 있다
그래도 날개가 있으니 날아가 주겠지

조금 더 생각하고
조금 더 노력해서
저 높은 하늘을 향해 날려 보낼 것이다

그날을 기다리며
오늘도 정성스런 한 금을 접는다

조금 더 반듯하고
조금 더 튼튼한

학을 접기 위해
날려 보내기 위해

부디 이번만큼은 힘껏 치닫기를…

비

내리는 비야
내 머리에 떨어지렴
내 머리에 떨어져 머리를 무겁게 해주렴
내 머리카락 한올한올을 한 아름씩 끌어안아
저 지하세계로 끌고 가 버리렴

축 쳐진 머리카락 끝으로부터
힘없이 떨어지는 빗방울들
머리카락 한 올이라도 가져가주지

아쉬운 마음에 떨어지는 빗방울을 내려다보면
어느새 내 발 앞에 떨어진 내 얼굴이
힘든 기색 보이며 쓰라린 웃음만 짓고

누가 볼까 밟고 지나가면
발뒤축으로 스미는 물

비야 맘껏 내려라
덩달아 나도 실컷 울어나 보자

비 오는 토요일

쏴아아 시원하게 비가 온다
그런 비를 그냥 맞는다
머리가 무거워지고 교복이 젖는다
괜찮다 오늘은 토요일이다

뚜벅 뚜벅 걸어간다
내 머리카락에서도 비가 내린다
그 비를 또 내가 맞는다

무거운 머리를 살짝 숙이고 걸어간다
우산 쓰고 가는 사람, 뛰어 가는 사람
나와 똑같은 사람도 있다

이제 교복과 나는 완전히 하나다
보드라운 빗방울은 향기를 내며
내 얼굴을 타고 흐른다

교복을 입지 않는 나이가 되어
비가 오는 토요일이 문득 그리워진다

비만 맞으면

아침부터 무슨 놈의 비가 그렇게 쏟아지던지
문득 떠오른 지금 보다 작았던 머리엔
교실에 살며시 두고 온 우산하나
두 살이나 많던 형아 역시도 그랬었지

'도대체 몇 개째니'

울컥 떠오른 엄마 목소리에
그렇게 묵묵히 빗줄기 사이를 걸어갔었지
한걸음 두걸음 차가움에 놀라고
또 한걸음 두걸음 싸늘함에 떨었지

그렇게 온몸이 젖은 채로 얼마나 갔을까
어떻게 아셨는지 달려오신 엄마 손엔
따뜻한 우산 두 개가
화내시는 엄마의 붉은 두 눈에서도
비가 내리고 있었지
그렇게 젖은 몸을 새 우산으로 가리고
울며 걸어갔던 그 어린 등굣길

이것이란다
가끔 비를 맞으며 걸을 때
괜스레 웃음 지으며 울컥하는 이유가…

외톨이 물방울

철판 위로 굴러가는 빗구슬들
위에도 아래도 여러 개의 철판들
위에서 굴러 내려온 빗구슬은
다시 철판을 타고 옆으로 그리고 또 아래로

수많은 그렇게 끝없이 흐르는 물구슬에 행렬
악보위에 음표를 그리는 지
소리까지 내며 흐르는 구나

저기 구석진 곳에 홀로 맺힌 물방울아
그 곳에 혼자 맺혀 무슨 생각을 하느냐
하늘에서 내린 비가
겨우 닿아 만든 외톨이 물방울아

혼자 가만히 빛을 내며 무엇을 기다리느냐
한참 만에 간신히 떨어진 물방울은
다시 아래 철판에 걸리었다

너도 참 더디구나…

작은 사물함 속에

문틈사이로 외풍이 들어오는 회색빛 사물함
그 속에 존재하는 건 어둠속에 쌓여 있는 책들
그리고 날 닮은 작은 인형 하나

그 인형 손에 더 작은 휴대전화기
시선은 책 쪽에 있지만
손만은 그 전화기를 꼭 쥐고 있다
버튼 하나 누를 정도의 생명력조차 없는
가엾은 날 닮은 작은 인형

단지, 누군가 놓아둔 채로… 쥐어준 채로…
보이지 않는 책들을 바라보며
한손에는 전화기를 쥐고 있을 뿐
벨이 울리면 누군가는 그 사물함을 열어 보겠지

그럼 그 인형은 따사로운 빛과 함께 그 책들도
그 누군가의 통화소리도 느낄 수 있겠지

여전히 어둠 속엔 날 닮은 작은 인형 하나가 있다

먼저 내린 눈(1)

눈이 내리고 있어요
아마 당신에게 닿을 눈도 많겠죠

내 체온을 당신께 드릴게요
그것으로 그들을 잡아주세요
그들이 쌓일 수 있도록

나는 녹아 사방으로 흩어지겠죠
내가 다시 구름이 되고 비가 되어 떨어지고
땅 위를 물을 타고 흐르며

그렇게 세월이 흘러
내가 다시 눈이 되어
이 땅에 떨어질 때

그때 다시 당신을 만날 수 있으면 좋겠어요

기대하세요
내가 다시 눈이 되면 더 아름답게 내릴 테니까…

가느다란 바람을 잡고 춤을 추다

아무도 보이지 않을 그 곳에서
있지도 않을 노래에 맞춰 춤을 추다

뜨거운 가슴은 식지도 아니한 체 아래로 흘러
발바닥 가운데를 간질이며 춤을 추게 하더라

누가 무어라 하지 않을 그 곳에서
그 누구도 눈치 채지 못할 춤을 추다

까만 그림자는 내 발끝을 떠나지 못 하고
다섯 발가락을 끌어당기며 춤을 추게 하더라

감은 두 눈이… 곧게 편 내 손이…
그대를 끌어안고 허무한 춤을 추더라

먼저 내린 눈(2)

하늘로 올라간 눈이어라
먼저 내려 그대에게 체온을 남기고
사라져 버린 가냘픈 영혼이어라

구름 위 올라탄 눈이어라
뿌연 구름 위에 자신을 감추고
천천히 흘러갈 그리움의 결정이어라

그대 머리 위 떨어진 빗방울이어라
그대 머리카락 끝에 방울방울 맺혀
그대 곁을 떠나지 않으려고 꽉 붙잡고 있는

내 소식 담은
내 눈물이어라

다시 걷기 시작하다

어느덧 저무는 해
서늘한 초저녁 바람이 내 허리를 감싸고
석양이 지는 곳으로 나를 조금씩 밀어낸다

가만히 있던 나
바람에 밀려 조금씩 뒷걸음질 치고
부는 바람을 안고 그대로 흘러 가볼까 한다

그렇게 다다른 서해
갯벌에 발이 묶인 나는 갈대처럼 춤을 추고
낯선 이의 방문에 서늘한 조약돌이 수줍게 묻는다

'수평선 위로 떠오르는 해는 얼마나 멋질까요?'

번뜩 눈이 뜨인 나
갯벌에 빠진 발을 가만히 빼내고
어느새 거세어진 바람을 맞으며
앞으로 나아가기 시작한다

난 지금 수평선 위로 떠오르는 해를 보러 간다
따스하게 나를 맞아 줄 해님을 마주하러 간다

조그맣고 보드라운 조약돌을 꼬옥 쥐고……

열을 세다

하나… 두울… 눈물이 흐른다
흐르는 눈물에 그대의 모습을 맡긴다
작은 종이배에 실어 멀리 멀리 흘러가라 한다

세엣… 네엣… 바람이 흐른다
흐르는 바람에 그대의 내음을 맡긴다
종이비행기에 실어 멀리 멀리 날아가라 한다

다섯… 여섯… 시간이 흐른다
흐르는 시간에 내 안의 슬픔을 맡긴다
종이꽃 한 송이 접어 기쁨으로 피어나라 한다

일곱… 여덟… 마음이 흐른다
흐르는 마음에 내 안의 심장을 맡긴다
종이거북이 태워 처언천히 쉬며가라 한다

아홉… 열… 그대가 흐른다
흐르는 그대에게 내 안의 추억을 맡긴다
천 마리 종이학 접어 열지 않을 유리병 되라 한다

추억을 담는 소리

그날··· 그 곳··· 그 사람···

햇살이 우릴 한없이 비쳐주던 그 날
우리가 걸었던 그 곳
우리가 만났던 그 사람

찰칵 찰칵
맑디 맑은 유리알에 박힌 풍경
살며시 꺼내어 보노라면

그 날의 따사로움
그 곳에 두고 온 발자국
그 사람의 잔잔한 미소

너는 어찌 한 장에 다 담았더냐

찰칵 찰칵
너의 심장이 뛰는 소리
나는 그 소리가 좋구나···

그것은

추적추적 내리는 빗속에서도
젖은 날개를 팔랑이며
날아드는 나비가 있다면
그것은 나 일 것이다

하루는 눈물을 머금고
또 하루는 웃음을 머금을 때
그 웃음 하나로 눈물을 잊는 자가 있다면
그것은 나 일 것이다

차가운 바람결에 네 어깨를 감싸고
발걸음 하나하나에
미소 짓고 있는 자가 있다면
그것은 나 일 것이다

비단 한 줄로 내 눈을 가리어도
온갖 잡소리가 내 귀를 현혹해도
향내 따라 내 손끝이 닿는 곳이 있다면
그것은 너 일 것이다

바람이 운다

후웅 후웅 바람이 운다

그동안 참은 인내를 떨치고
설움을 토해내는 하소연을 하러 온다

후웅 후웅 문을 열어주오

하지만 더 꼭 걸어 잠근 문은
바람이 두려워 바르르 떨 뿐이다

나가봐야겠다
두 팔을 벌려 바람을 맞이 해봐야겠다

두 팔을... 손가락을...
가볍게 벌리고

네가 날 안아주는지 내가 널 안아주는지

그때 그날처럼 허무한 춤을 추련다…

기생심寄生心

고독이 숨 쉬기엔 내 생각이 필요한가
왜 자꾸 내게 와서 생각하게 하는가
할 일은 많은데, 덕분에 턱만 잡고 있구나

고독이 쉬고 있기엔 내 심장이 필요한가
그나마 무거운 심장을 더욱 무겁게만 하는가
할 많은 많은데, 덕분에 가슴만 답답하구나

고독이 잠자기엔 내 꿈은 필요 없는가
밤마다 나 자기 전에 찾아와
생각하게 하고, 심장을 무겁게 하는가

꿈에서 나마 그 임과 함께 하려 하는데
끝까지 방해만 하는 너를

나는 어찌해야 하는가…

내가 품은 것

비바람에 떨어질까 염려했던 꽃들이
아직 많이 남아있구나

꽃을 결실이라 하면 씨 뿌리는 게 시작이고
씨를 결실이라 하면 싹이 돋는 게 시작이라

시작이 어딘지 끝이 어딘지 명확친 않더라도
꽃을 한번 피운다는 건 변치 않는 사실이거늘

나는 지금 씨앗일까 싹이 조금 돋아났을까
꽃대가 올라왔을까 아직은 모르겠으나

꽃이 결실이라면 그 꽃을 피우는 과정이리라

도심 속에서 매연에 피는 꽃보단
온실 속 단아한 꽃이 좋고

온실 속 단아한 꽃보단
아무렴 야생화가 더 좋지 않겠는가

나는 야생화가 되고 싶구나

씨앗에 품은 꽃이 내 아비와 어미를 닮아
곱디곱게 피었으면 좋겠다

청년

내 전생이 모두 단명이라
늙음이 익숙지 않아 어리구나
쓸데없는 사념만 깊어가니
망상이 익숙해 말만 많았구나

모든 삶을 다 아는 것 마냥
모든 이를 다 아는 것 마냥
그렇게 지저귀며 살았구나

오늘도 난 노래가 부르고 싶구나
그렇게 다른 이의 삶 속에 스며들어
슬프지 않은데 울으려 하고
즐겁지 않은데 웃으려 하는구나

나에게도 누가
그만하면 되었다 하였으면 좋겠다…

종이 돛단배

살랑살랑 바람이 분다
누구의 한숨일까 누구의 그리움일까

넘실넘실 파도가 치면
내 발 끝에 닿는 종이배 하나
누구의 근심일까 누구의 고독일까

손끝으로 여미는 그 속에 이야기들은
그 누구가 아닌 내 이야기인 것을

접혀진 선 따라 배를 다시 접어본다
바다야 오늘도 넌 착하구나

여기 내 이야기도 그 누구에게 전해주렴
나도 여기 있다고 전해주렴…

그때만큼

하루 종일 기다렸던 너의 소식
늦은 밤도 속삭였던 너의 음성
지침 없는 기다림은 나의 설렘
너 역시도 기다렸던 나의 걸음

그때만큼은 사랑

손가락 끝 마주 닿는 짧은 순간
바람 따라 피어오는 순한 향내
눈동자에 비춰지는 내 얼굴과
조용하게 부딪치는 웃음소리

그때만큼은 사랑

손끝으로 어루만진 닮은 얼굴
코끝으로 느껴지는 떠는 숨결
부드러운 입술 따라 속삭이던
그 누구도 알지 못 할 짙은 감정

그때만큼은 사랑

눈물고인 그 눈가를 닦아주고
떠는 어깨 따뜻하게 안아주고
모자란 맘 채워주며 다독이고
서운한 맘 위로하며 달래줄 때

그때만큼은 사랑

수천가지 수만 가지 기억 속에
잊지 못 할 추억들이 한둘일까
그때만큼 뜨거운 날 있었을까
그때만큼 즐겁던 날 있었을까

그러니
그때만큼만 살아…

청년기사

어스름 달빛마저 물들어 고요한 언덕에
장미 꽃 하나 둘 피어나 향기마저 고울 때
시대를 잘못 탄 기사는
말도 없이 밤길을 걸었대

이따금씩 허리춤에 매달린 녹슨 창이 무거워
땅에 질질 끌며 소란스럽게 울어대도
아무도 그를 뭐라 할 수 없었대

어스름 달빛마저 물들어 고요한 언덕에
장미 꽃 하나 둘 피어나 향기마저 고울 때
상처투성이로 공주마저 잃어버린 기사가
말도 없이 기나긴 밤을 그렇게 걸어갔대…

개똥벌레

하늘 위의 별들은 밤만 되면 빛나는데
하늘 아래 반딧불이 들은 하나 둘 씩 꺼져가네

아무리 우겨봐도 어쩔 수 없는 게 무엇일까
저기 개똥무덤이 우리네 사는 집이라고
겉보기엔 볼품없어 보여도
언제든 두 팔 두 다리 뻗고 누울 수 있다네

가슴을 내밀어봐도 돌아오는 건 시련 뿐
함께 노래하던 새들도 하나 둘 날아가네

가지마라 가지마라 가지 말아라
우리를 위해 한번 만 더 노래를 불러다오

아아 괴로운 밤 쓰라린 가슴 안고
오늘 밤도 그렇게 울다 잠이 들겠구나…

세심가洗心歌

한해 두해 흐르는 세월 속에
너의 영롱함도 때가 묻었구나
어린아이의 눈동자에 비친
나의 모습도 잡티가 늘었구나

온정을 품고 바라본들
그 모습이 달가울까
미소 띤 그 입술이
내 곁에서 여전할까

닿을 듯 말 듯 내민 수줍은 내 손아
그 여린 어깨마저 감쌀 길 없는
지친 내 손아

하루를 벗 삼고 수일을 기다림에
어디 가지 아니하고 불어오는 바람만 맞으니
새장 없는 내 맘속에 머무를 새 하나 없네

아소 님하

내 맘속에 새장 하난 없어도
푸르른 초원이 광활하니
때가 묻고 묻어 그 마음이 지칠 때
편히 날아와 정화하고 가소서

노을 파사삭

오늘 할 일을 모두 끝낸 해가
마지막 남은 열기로 하늘을 빨갛게 태운다
거멓게 그을린 대지와 구름 사이로
시뻘건 불씨를 피워 보낸다

붉은 작별은
찬란한 다음을 기약하고
밤새 수놓아질 별들에게도
먹먹한 그을음을 남겨 놓는다

아아 우리는
꽃과 나무들처럼
찬란하게 다시 만날
그 해를 그리워하겠구나

숯이 되어버린 밤하늘에
드문드문 피어나는 별빛과
소곤거리는 지저귐을 자장가 삼아
그을린 마음 한켠을 달래본다

반짝

지구가 태양을 몇 바퀴 돌고
그렇게 견우성과 직녀성이 몇 해를 만나고
그렇게 코스모스가 피었다 지었다 했을 때

믿지 못 할 사랑에 이별을 경험하고
나에게 정말 너만한 사람이 없었음을
너에게 정말 나만한 사람이 없었음을
서로 깨닫게 될 때

그렇게 나에게 오렴…

온점

넘실넘실 뻗쳐가는 풍랑 위로 한 줄
기운차게 떠다니는 통통배 부러워라
바닷결 격자무늬 안에 굳건한 폰(pawn) 하나

누구를 지키는 지
누구를 기다리는 지

여왕님은 이미 저기 멀리 보이지 않고
바다 끝까지 올라가 새 삶을 살아볼까

아니 아니어라
나 혼자 어딜 가겠는가

서슬 퍼런 머리위로
온 점 하나 남았더라

꽃님

소년이 말했다

사람들은 꽃이 만개한 나무만 좋아해
나무는 늘 그 자리에 있었고
꽃을 피우기 위해 열심이었지만
앙상한 나뭇가지에 꽃눈이 피었을 때도
그때처럼 많은 사람들이 보러 오진 않았지

그래서 꽃이 지는 걸까
만개한 모습만 좋아하는 사람들에게
마음이 슬퍼져 그 꽃잎을 눈물 삼아
실망 또한 남겨주는거지
그러다 긴 겨울에 홀로 외로움을 이겨내면
그 사랑이 그리워 다시 꽃을 피우는 거야

소녀가 말했다

꽃이 핀게 너무 예뻐서 보러갈거야
그 꽃에 눈이 멀어 곁을 떠나기 싫어질테고
꽃이 지면 아쉬워 마지막까지 볼 거고
앙상해진 가지를 보며 그리워하다
다시 꽃이 필 때까지 곁을 맴돌 거야

그럼 꽃이 좋은 걸까
그 꽃을 피워주는 나무가 좋은 걸까
나무가 없으면 그 꽃도 볼 수 없어
꽃도 보고 싶고, 푸른 잎도 보고 싶어
앙상한 가지의 운치도 느껴보고 싶어
그래서 계속 보러 올 거야

그렇게 소년은 소녀의 꽃나무가 되었다

아들의 기도

아버지도 알고 계셨지요

똥 기저귀 냄새도 구수 할 때가 있고
쉰내 섞인 발 냄새마저 향기롭다는 걸

말도 안 듣고 투정만 부리는 청개구리인데
웃는 얼굴이 귀여워
화도 와르르 무너져버린다는 걸

이렇게 십년이 지나면
서먹해지고 한번 안아보는 것도
쉽지 않다는 걸

이렇게 스무 해가 지나면
마주보는 일도
일 년 동안 손에 꼽을 거란 걸

이렇게 서른 해가 지나면
나 역시 지금의 아버지와 같을 거라는 걸

당신보다 30년이 늦은 걸음이라
당신을 이해하는데 30년이 걸릴 거라는 걸

그러니 30년만 더 저를 지켜봐 주소서…

귀한 손님(1)

오늘은 큰 아들이 내려온다
내일은 작은 아들이 내려온다

어려서는
엄마 아빠하며 따랐다

퇴근하면 착 안겨
척척한 입술을 내밀었다

이제는
나보다도 덩치가 더 커져버렸다

요새는
명절 그리고 생일 때에나 만난다

오늘 만나면
내일은 또 떠나버린다

그래서
반갑고 귀한 손님이 되어버렸다

그런 아들들이
다 같이 가족이 되기 위해 온단다

귀한 손님(2)

어제 형이 내려왔단다
오늘은 내가 내려간다

어려서는
엄마 아빠하며 만세를 불렀다

퇴근하시면 착 안겨
척척한 입술을 내밀었다

이제는
아버지보다도 덩치가 더 커져버렸다

요새는
명절 그리고 생일 때에나 뵈러 간다

오늘 만나면
내일은 또 떠나와야 한다

그래서
귀한 아들이자 귀한 손님이 되어버렸다

그런 부모님이
다 같이 가족이 되기 위해 기다리고 계신다

입으로 들어가는 반찬보다
입에서 입으로 오가는 말들이 더 맛있던

그 일상이
이젠 특별한 날이 되어버렸지만

둥지를 떠난 아기 새는
이따금씩 돌아와

이번엔 어디까지 날아갔다 왔다고
힘차진 날갯짓을 보여줘야 하니까

오늘도 가져갈 이야기를
한 보따리 쌌다

송휘령

...

하늘 편지지에 구름 글씨

도시의 빌딩 숲 사이로 보이는
건물들로 이루어진 산맥의 주름진 골짜기 곁에
이정표처럼 만난 우듬지 위에도
전봇대의 낡은 바람결에도 구름이

성난 외로움이 목울대까지
빼곡하게 차오르면
이상하게 구름은 글씨가 되어
마음속으로 걸어 들어와
나에게 말을 걸었다.

그. 리. 고
심장 사이에서 막 꺼낸 뜨거움으로
구름은 글을 쓰기 시작했다.

겨울 아침 창가에 서서1

산 하나가 통째로 보이는 내 방 창가에는
어젯밤 별 한 무더기가 쏟아져 내렸다

움푹 패인 빙하 같은 물웅덩이 옆
어젯밤 쏟아진 별무더기가
추운 겨울을 이기지 못하고
수북하게 쌓여 꽁꽁 얼어 있다

당신이 떠난 하늘은
겨울바람에 튼 살갗처럼
푸르딩딩해 보이고
등을 돌려 앉은 그리움이
뭉텅뭉텅 낯설다

누워있던 이불속에는
어젯밤같이 동침한
겨울의 시린 등짝이 누워있다
밀어내도 달라붙던 겨울이란 계절
추위에 숨 막혀 뒤척이던 밤

닿을 수 없는 거리의 그대 생각에
눈물은 눈 밑에서 반짝이다
또르르 별똥별로 지고
풀어내도 끊임없이 풀려나오는
보고 싶음의 실타래

춥고 질긴 계절의
길고 긴 뿌리를 툭 떨쳐내고
끌려 나온 막막한
내 꿈 한잔이 뜨거워
호로록 호로록 마시며
방금 야당역을 지나가는
경의중앙선 열차를
하염없이 바라보고 있다.

마지막 눈

어쩌면
겨우내
너에게 가지 못했던
모든 내 일상이
꿈처럼
하늘에서
떨어져 내리는
아름다운
사연일지도 몰라.

2월에게

당신은
짧아서 아름다운
겨울과 봄의 징검다리
아무것도 보이지 않을 때
곁에 앉아 마음을 기대라며
상처에서 피어난 꽃을
가만히 같이 들여다보곤
호호 마른 입김 불어주며
새살 돋아 다시 살 수 있게
희망을 불어넣어 준
햇살 같은 사람입니다.

수선화

거울 같은 맑은 겨울 강물
얼지 않고 졸졸졸 노래하네!
푸른 산자락을 담아서
구름 하나 강물 위에
떠 흐르고
언 손으로 퍼 올린 당신 얼굴
어깨 위로 내리던 하얀 눈
수북하게 쌓여 있는 육각형의 시간
그곳에 나는 꽃으로 피었네.

몽우리

길고 긴 겨우내
꽃망울은
붉은빛 자궁보다도
더 따스한 깊은 수면 속
캄캄하지만 꿈을 꾸지!
길고 하얗게 눈이 내리는
별들도 숨죽여 듣는 밤
너나들이 첨방첨방
사방으로 달빛이
튕겨 오르는 그곳에
우주의 모든 향기를
끌고 와 가슴 가득 안고 있다가
봄의 여러 날
여러 색 꽃으로 터트려져
당신을 웃게 하고 싶다.

목련꽃

당신을 사랑하는
마음의 크기만 한
커다랗고 부드러운 꽃잎이
한겨울 모난 기운을 밀치고
가끔 다시 불어오는
칼끝처럼 뾰족한 바람 끝에서
큼지막한 사랑을 피웁니다
연분홍 봄 하늘 아래서
생명이
생명이
생명이
눈이 부신 생명이
가지들의 끝에서 툭툭 터집니다
고달픈 인생들을 위해
목련나무 한 그루는
삶의 중심축이 되어
크림색 사랑을
꽃으로 피워냅니다.

4월

너에 대한 그리움을
꼭꼭 접어서 아무도
모르게
마음을 파헤쳐서
심장 속에 묻어두었다

억만 겁의 시간이
흐르고

4월의 어느 봄날
푹 익은 하늘에서
능금빛 별 하나가
꽃잎처럼 떨어졌다

사랑이었다.

꽃비

당신의
바람이 불어오자
단 한 개의 꽃잎도
땅으로 떨어지는 동안
같은 모양의 선으로
떨어져 내리는 것이 없어
가만히 서서 바라봅니다
정수리에서 발바닥까지
꽃잎들의 전 인생
바람의 결을 따라
각자의 가장 고운 선으로
빈 공간을
분홍으로 물들이는

이 세상
가장 아름다운 중력.

붉은 토끼풀

당신이 오는 길목에서
머리를 내밀고 까치발을 들었어요

뭉텅뭉텅 피어나는
6월의 초록 야생화들 곁에서
세 잎으로도, 네 잎으로도
머리를 내밀었지요

당신의 발걸음이 머문 어디쯤
나를 보여주고 싶어서
행복으로도 흔들렸다가
행운으로도 흔들렸다가

당신이 오는 길목에서
나는 수줍게 붉어졌어요.

생명의 샘

투명한 빛의 굴절을 따라
천천히 아주 천천히
낮은 소리로 흐르는 샘물은
모든 장애물을 돌아
당신으로 흐릅니다
초록의 나뭇가지 끝
출렁이는 성긴 바람
소리 내며 쏟아져 내리는 햇빛
그 끝에서 발을 들고
이 세상 가장 아름다운 춤
기쁨은 그렇게 절로 생명들
사이에서 샘솟듯 솟아납니다!
당신에게 솟아나는 생명의 샘
먼 곳 북아메리카가 고향인
키 큰 미루나무 한 그루
연록의 손톱 같은 작은 봄꽃들을
하늘과 가장 가까운 곳에
생명의 샘물을 마음에 찍어
가장 예쁜 꽃 편지로 써두었습니다.

아름다운 기적

딱 그맘때
하늘에서 떨어져 내린 별도

딱 그맘때
나뭇가지를 터트리고 피어난 꽃도

딱 그맘때
내 안으로 들어온 사랑이란 마음도.

달고나처럼

네가 왔다

텅 빈 마음 안으로
별똥별처럼 뚝 떨어져 내렸다

참 달다
난 좋다

네 향기로 가득하게 차오른다.

7월

이슬 내린
아침 산책길
여기저기 싱그런 7월

뚝 따서
한입 베어 물었더니
능금 맛이 났다

아
푸르른 맛이다.

영혼 수선공

일천억 개의 신경세포가
온 우주 속 은하수처럼 펼쳐진
당신의 마음이라는 하늘

오늘
당신의 하늘은 무겁습니까?
무거운 그 하늘 위 먹구름은
결국, 무게를 견디지 못하고
이렇게 철썩철썩 바다의
푸른 이야기 같은 사연들을
아침부터 하염없이 가슴속에
주룩주룩 수다스럽게 내려
내겐 우산을 들게 합니까?

당신의 하늘에 떠 있던
아드레날린으로 만들어진
구겨지지도 않던 거친 먹구름
잘 뜯어지지도 않던 슬픔과
말라붙은 절망들을 천천히
쪽 가위를 들고 호흡을 가다듬어
톡톡 하늘에서 잘라냅니다

세로토닌과 가바로 만든 실 꾸러미
사랑의 힘으로 한 가닥 실을 빼내어
희망이란 바늘에 꿰어봅니다
옥시토신으로 만든
몽글몽글 흰 구름을
당신의 마음에 붙이고
한 땀, 한 땀 바느질을 합니다
당신의 하늘이 환해집니다

나는 영혼 수선공입니다.

천 개의 기도

하늘을 향해
푸르게 흔들리는 깃발처럼
나는 흔들리고 있어
당신을 향해 흔드는 심장
수축과 이완의 박동 소리
푸르른 심장 소리

영원한 사랑이란
꽃말을 지닌 이팝나무
하얀 꽃을 머리에 주렁주렁 단
5월의 이팝나무 아래서
마음의 무릎을 꿇고
두 손을 들고 경배해
겨우 두 개의 손대신
이팝나무 하얀 꽃 손들이
천 개의 입술이 되어
하늘을 향해 기도해
아무도 아프지 마라
아무도 다치지 마라
아무도 떠나지 마라

천 개의 꽃 손을 들고
푸른 하늘을 향해 흔들며
천 개의 목소리로 기도해
영원한 사랑으로 기도해.

완두콩 빛 봄

깨어진 유리 조각 같은
뾰족하고 날카로운 겨울
시계의 초침 같은 당신은
분주하게 마음의 낮과 밤을
지나오느라 숨이 차다

아직 어두운 새벽에
마주한 당신, 거친 호흡의 등을
꼭 안고 토닥토닥 두드리면
잔잔해진 호흡 사이로
촉촉하게 흡수되는 봄빛이야

꿈에서처럼 당신의 발가락은
자꾸 우리 사이에서
미끄러져 내렸는데
왜 하필 마음을 기댄 곳이
산등성이 비탈길이었을까

매번 미끄러져 내리면서도
온몸에 힘을 주며 버텨내던
당신과 나의 그 춥던 겨울

하얗게 떨어져 내리던 시간
얼음처럼 차갑던 시간

내 눈물이 육각형 눈으로
내리고 쌓이던 나뭇가지 끝
겹겹의 잔상들을 찰칵찰칵
사진처럼 찍어서 말이야
노을 끝에 매달아 말리고 있어

끝끝내 참아 낸 우리들의 관계
톱밥 같은 황톳빛 땅 위로
일렁이는 봄날의 아지랑이처럼
짙은 갈색, 당신의 살갗을 뚫고
오늘은 완두콩 빛 봄이 되었네.

마들렌

피곤한
당신을 위해 만들었어요
나를 닮아
귀여운 조개 모양입니다

박력분과 베이킹파우더가
한겨울 눈처럼 곱게 내렸지요
상큼한 웃음과 달달한 미소처럼
다진 레몬껍질에
달콤한 설탕을 추가했어요
내 심장을 녹인 당신의 편지처럼
버터는 완벽하게 녹아내렸죠

오랫동안 기다리다 지친 마음은 체로 쳐주고
삶에 지쳐 마른 꽃 같은 감정은
실리콘 주걱으로 자주 부드럽게 저어주세요
그래도 사랑하는 마음이 돌아오지 않으면
1분간만 강하게
그리움의 휘핑 시간을 허락해주세요

당신이 살고 있는
프랑스 북동부 로렌지역 뫼즈주 코메르시
나는 방금 파리 드골공항에 내려서
파리의 헝지스꽃시장으로 갑니다
꽃시장 한가득 팔고 있는 다양한 꽃 중에
알록달록 오색찬란한 장미꽃을 사서
당신의 식탁에 꽂아두겠습니다

그러니
당신은 오늘만큼은
세상에서 가장 행복한 표정을 짓고
무지개처럼 찬란한 장미들을 바라보면서
레몬 향기 가득한 마들렌을 먹어요

내 사랑을 먹어요.

당신과 나의 별

당신과 내가 사는 푸른 지구별

당신이 있는 아이슬란드 동쪽
손바닥 주름처럼 결결이 붉은 땅
부식된 공룡의 뼈처럼 척박한
사막 같은 땅 위의
당신의 발자국은
어디를 향한 것인지요?
스카이블루와 민트블루의 푸르른 하늘
그럼에도 불구하고
마그리트 그림처럼 떠 있는 잿빛 구름들
보고 있는 내내 손으로 만지고 싶은
꽉 짜면 뿌연 잿물이 주르르 떨어질 것 같은
우울함을 감추기 위해
하늘만 그토록 푸릅니까?

그대여!
그대 마음의 화단엔 무슨 꽃이 피었습니까?

내가 살아 내는 대한민국 남쪽
보드라운 은빛 모래가 바다의 경계를 삼고

갈매기들이 하늘을 향해 날고
끼욱끼욱 어린노래를 부릅니다
그럼에도 불구하고
마음은 바다처럼 푸른 멍이 들고
시계의 초침을 따라 걷는 나의 잰걸음
일기장에 쓰는 나의 하루는
눈물방울들이 글들을 대신해서
빈칸마다 가득하게 쓰입니다
숨이 차고 힘든 나의 세상에
그대는 얼른 오십시오

내 마음의 화단엔
당신의 이름이 꽃처럼 피어났습니다!

올리브 나무

당신은, 오늘 올리브나무 한그루처럼
해안가 바위 같은 견고한 인본의 마음을
뚫고 뿌리를 내리며 거룩함으로 섰습니다
일자로 꾹 다문 입술 같은 나뭇잎들은
지중해 연안에서 불어오는 푸르고도
소금기 많은 바람과 작열하는 태양아래
한 명의 영혼에 깃들인 사랑을 생각합니다
하늘이 깊어진 시간 별들을 모두 가져다가
봄날의 중간쯤 별을 밝힌 꽃들로 피어나
길이 되기도 하고 진리가 되기도 한 근원
쏟아져 나오는 당신의 생명은
사람들의 광야 같은 인생의 길목에
은혜의 정해진 때를 따라 삶을 읽으며
시간이란 숫자에 노예가 되지 않고
약한 자의 슬픔을 천천히 거두어주십니다
당신은, 오늘 올리브나무 한그루처럼
해안가 바위 같은 견고한 인본의 마음을
뚫고 뿌리를 내리며 거룩함으로 섰습니다

August. 2021

8월 첫날 세상의 문을 엽니다
하늘의 별들을 재우고 일어난 새벽엔
뜨거운 비가 내렸습니다
시작이며 나중이라고 부르는 시간의 줄
주인이자 이름을 가진 당신은
나와 함께 걸었던 발걸음 그대로
인생의 보폭을 같이하며 걸어 줄
성난 파도 위에서도
움푹 패인 웅덩이 속에서도
건져내었던 당신의 손을
다시는 놓치지 않기를 기도합니다
다시 별들이 깨어나고
붉은 달이 뜨는 밤이 찾아와
세상의 문이 반복적으로
내 앞에서 닫힐지라도
열매가 맺혀질 가을의 시간을 위해
당신의 손을 잡고 용기를 내어
또 시작해봅니다.

여름 사랑1

제주도 서쪽 32Km 푸른 바다 푸른 하늘
시작도 끝도 찾을 수 없는
깊고 높고 넓은 바람의 길을 따라
코발트블루 에메랄드블루 사파이어블루
출렁출렁 춤을 추는 파도의 끝자락
그림처럼 떠 있는 신비의 섬 비양도
뭉게뭉게 하늘에서 피어나 철썩이는 구름
소나무숲에서 부는 갓 태어난 바람
휘파람을 불며 블루의 여름을 노래합니다
보고 싶은 마음마다 하얀 조개껍질처럼
산산이 부서져 해변의 모래가 된 그곳에
푸르른 바다가 남기고 간 사랑의 싸인
흐린 기억으로 사위어가는 마음결에
당신 얼굴 낮달처럼 떠오릅니다.

여름 사랑2

6월의 바다가 푸르게 익어가는
바닷길 위 소나무 숲 비양도
그리움이 피어올라 켜켜로 쌓인
구멍 난 돌탑들 아래 소리도 없이
뚝뚝 떨어지는 모란꽃처럼
6월이 붉게 타고 있어
세월은 하염없이 밀려갔다 밀려오는
시간의 바다에서 째깍거리는데
빗장을 닫아건 마음의 집엔
앨범 속 흑백사진처럼
오래되어 낡은 심장 속으로
앙다문 입술 옆 볼우물을 가진
당신의 얼굴이 말갛게, 말갛게……

모란꽃이 피어있는 비양도 섬
붉은 꽃그늘 밑에도
소나무 숲의 어깨를 붉게 물들인
하늘의 노을 위에도
당신은 뜨겁게 살아납니다.

여름 사랑4

계곡은 더 맑아졌고
솟은 봉우리는
구름 빛으로 청량해
깊어진 사랑이
어제보다
오늘 더
짙은 초록빛 숲으로
당신을 키워낸 듯
포동포동 부풀어 올랐어

여름아,
오늘도 사랑해!

여름 사랑6

하늘에서 구름이 바람을 따라
달릴 때 논에는 초록의 벼들이
바람을 따라 달렸다
키 재기를 하던 밭의 푸성귀들은
벼를 따라서 달리고
이랑과 이랑 사이에는 대롱이며
매달린 콩잎들이 달린다
여름 벌판에 은하수처럼 피어난
야생화들도 덩달아
달리고, 달리고, 달리고
꾸벅이며 졸다 잠들어 꿈을 꾸던
담장 곁 능소화도 화들짝 놀라 달린다
당신도 하늘의 구름을 따라 바람처럼
계절의 길 위에 자전거를 타고 달리면
동네를 어슬렁거리던 삽사리도
덩달아 자전거를 따라 달린다

모든 여름이 가을을 향해 달린다.

너에게로 가는 길3

비가 적당히 내려
해갈을 잘 넘긴 땅 위를 걸으면
심장에 박혀 있는 네 마음이 보여

눈물처럼 말캉해진 땅 위
230㎝의 청색 운동화
발 도장이 타박타박 나며
너에게로 가고 있어

밤이 지새도록 내린 봄비에
새벽녘 연두색의 나무들은
머리를 감고 나온 어린 소녀처럼
운무에 새순들을 풀어헤치고
각자의 나이테 안으로, 안으로
시간의 향기를 흠향하고 있어

네 마음만큼이나 부드러운 봄길
구름을 밟으며 걷는 것처럼 기뻐
이쯤일까 아니면 저기 저쯤일까?
매번 우리 사이의 거리를 재느라
가늘게 실눈을 뜨곤 했어

자 대신 한 뼘 손가락 자로 재어 본
너와 나의 거리는 말이야
꽃이 꿈꾸듯 피어나는 시간
별이 꿈꾸듯 떨어지는 시간
딱 그 시간만큼의 거리야

그다지 멀지 않아서 좋아
오늘 너에게로 가는 길은
문신처럼 땅바닥에 내 발자국이
찍힐 만큼 부드러워서 좋네!
마음 자국이 찍혀서 좋네!

너에게로 가는 길4

열림과 닫힘이 무한 반복으로
공존하는 빈 숲속 같은 마음의 끝
그 길에서

끝임없이 밀려왔다 밀려가는
감정의 광야에 서면
신기루처럼 나타난
낮아진 산허리에 뜬 밋밋한 달
약속의 날줄 위에 맨발로 서서
조팝나무 흰 꽃처럼 춤을 추곤 해
바람의 끝에서 하얀 몸을 흔들며
춤을 추다 보면 하늘길을 걸어
날짜 변경선을 밟고
태양이 떠 있는 대낮만을 골라
둥근 지구 위를 걸어서
너에게로 가고 있어
외로움이라는 땅에 심어 둔
동시에 피기도 하고
동시에 지기도 하는
열정의 나무와 허무의 나무에는
인위적인 밀도의 사랑이란 두엄

때때로 바람결에 흔들리는
흰옷을 입은 조팝꽃의 춤이 멈추듯
너를 향해 걸어가던 내 마음의
걸음이 멈추어지기도 해

그게 숲의 평화를 위해
내가 흔들어야 할
가장 아름다운 깃발처럼 보여서 말이야.

너에게로 가는 길5

구름 한 점 없이
푸르른 하늘을 독차지한 태양

햇살이 폭포수처럼
쏟아지는 5월의 아침
쏟아지는 빛살에
두 손을 대고 있어
후두둑…
후두둑…
요란한 소리
쏟아지는 빛살에
방금 스쳐간 바람은 따가워
먼 그곳에서 늘 안녕하기를
대지 위에 머문 지금, 이 시각
초록, 초록 한 모든 것들은
어제의 상처를 치료 중이야!

나도 하늘을 향해 고개를 젖히고
두 손을 나무들처럼 펼치고 있어
겨드랑이 사이로 지나가는 바람길이
두 다리 사이로 지나가는 바람길이

초록빛의 푸르고 아름다운 바람은
남태평양 폴리네시아의 천 개의 섬
사이, 사이로 불던 그 신비로운 바람
너에게로 가는 길을 내고 있어
어제까지의 나의 슬픔도
폴리네시아의 바람과 쏟아지는 햇살에
치료되는 거룩한 시간이야!

너에게로 가는 길은
늘 좋은 아침이야.

하늘 편지지에 구름 글씨 1

민트블루의 하늘 편지지에 당신이 보낸
모스부호 같은 구름이
둥실둥실 두둥실 떠 있어
쿤룬산맥에서 불어오는 바람은
여린 내 볼을 만지고
멀리 있는 우루무치로 달아났지
당신은 하늘 편지지에 내가 알 수도 없는
보륨, 세슘, 카드뮴, 스트론튬, 악티늄,
스칸듐, 구리, 비소, 염소를 가지고
명주실보다 더 고운 흰 구름을 만들었지!
눈에는 보이나 손으로 만질 수 없는
마법을 만들었어!
나는 당신이 하늘에 모스부호보다
더 어렵게 그려놓은 구름 글씨를
해석할 길이 없어
바보같이 땅바닥에 주저앉아
혼잣말처럼 떠들어보고 있어

"당신의 하늘은 안녕하십니까?"

타클라마칸사막을 횡단하는 한 마리 낙타처럼

마음의 무릎은 까지고
발뒤꿈치엔 군살이 배겼지
버겁게 쪼그리고 앉아 구름 글씨를 쳐다봐
나는 앉은뱅이처럼
척박한 땅에 뿌리를 내리고
하얗게 피어난 샤스타데이지 꽃
초록 벌판에 순둥순둥한 맑은 얼굴을 하고
쿤룬산맥에서 불어오는
바람을 따라 흔들리고 있어
당신의 하늘 편지지에
그 많던 구름 글씨가 한 점도 보이지 않고
밤마다 서글픈 노른자 같은 달이 뜨면
내가 있는 땅 이곳에 무더기로 피어난
샤스타데이지 꽃 안에도
노오란 둥근달이 한숨처럼 차올라
나의 땅에도 그리움이 차올라

당신,
그러면 나에게도
안녕한지 안부를 물어봐 주기를 바라.

하늘 편지지에 구름 글씨5

민트블루의 하늘 편지지에
당신이 보낸 하얀 구름 글씨는
몰락해가는 로마제국에서
흩어져 나온 프랑크제국이었던 독일의
네카르강 카를 테오도르 다리 밑을 지나는
선상 위에서 읽는 중이야

강의 좌우 건너편 산등성이엔
아름다운 집들이 착한 짐승처럼 앉아있고
당근색 지붕을 가진 집들의 영혼은
수줍게 웃고 있어 귀여워 보이는
사랑스런 강아지들 같아

아치형 붉은 벽돌로 만든
카를 테오도르 다리 밑으로 강물은 유유히
당신이 쓴 구름 글씨를 베끼고 있어
민트색으로 푸르게 물든 하늘 편지지 위에
부는 바람은 구름 글씨를 조금씩 바꾸고 있어
소중한 당신의 마음을 따라서 읽는 중이야

다리를 지나 반대편 초록 언덕 위로

보이기 시작한 하이델베르크 성
아직도 공주님이 살 것만 같은
붉은 벽돌의 완벽한 성
당신이 나에게 사랑을 고백하고 싶어 하던
아름다운 하이델베르크 성

강아지들의 영혼을 닮은
당근색 지붕의 산등성이 붉은 집들을 지나서
화단과 숲으로 가득 찬 우거진 산책로
슐랑엔빅 계단을 오르고 또 오르면
담쟁이 넝쿨이 돌담 가득 커튼처럼 드리운
철학자의 길 바로 그곳에서
당신의 구름 글씨가 멈추어 섰어!

황태자의 첫사랑처럼 아름다운 그곳에서
당신이 쓴 구름 글씨로 사랑을 고백받다니
"당신을 사랑해 기다려 줄 거지?"
나는 대답 대신 손으로 입을 가리고
웃기 시작했어
너무 행복해서 웃음이 나기 시작했어.

하늘 편지지에 구름 글씨8

민트블루의 하늘 편지지에
당신이 보낸 하얀 구름 글씨는
붉은색 사과가 한 상자 가득하게 들어 있는
사과나무 밑 초록으로 펼쳐진 초원 옆
오덴세 강 돛을 단 조각배 사이를 지나
잔잔히 흐르는 강물의 물수면 위에서
푸르른 바람을 따라 흔들리고 있어
바람이 멈추어야 당신이 보낸
구름 글씨를 읽을 수가 있을 텐데
잠시라도 멈추기를 부탁해
덴마크의 도시 퓐 섬
한스 크리스티안 안데르센의 고향 오덴세
성냥팔이 소녀는 아직도 살아있어
잠복한 잔설 속 묵은 기왓장 발치 끝
꽃을 피우지 못한 빈가지 사이에서
아직도 성냥을 팔고 있어
소녀의 얼굴은 얼었고
손은 수북한 추위에 곱았지
어슬렁거리는 북유럽 신화는
오딘의 이름이 새겨진 구시가지 골목들마다
크림색 벽면 위 늙은 호박색과 붉은 벽돌색

지붕 위에서 툭툭 소리를 내며
석류꽃이 피어나듯 산발한 웃음소리로 피어
방금 배꼽의 문을 지나서 에게스코프성
작은 호숫가 오크 숲에 갇혀
새벽 추위를 견디지 못하고 있어
얼음 속 강물은 무너져 내린
푸른 멍 자국으로 갇혀있지만
봄이 오면 말이야
미운오리새끼가 백조가 되듯
참나무 향이 가득한 오크 숲에서
당신의 사랑이 성냥불보다 환한 빛으로
여기저기에서 만개하기를 바라
그럼 난 당신의 구름 글씨를
사과를 따듯 뚝뚝 따서
마음속 상자에 가득하게 담아 둘게

당신의 사랑을 담아둘게.

공준식

...

이제는 두근거려도 되는 당신

날이 좋지 않네요
흐린 날이면 혹시나 그대 오지 않을까
마음 졸이며 긴 하루를 지냈습니다

하지만 이제는
날이 밝아도 좋고요
날이 흐려도 좋아요

확신이 있거든요
비바람이 몰아쳐도 흔들리지 않을 확신

그래서 이제는 그 어떤 날이라도
그댈 생각하며 두근거리겠습니다.

베스트셀러

우리들의 소설 같은 이야기가
책으로 나와 베스트셀러가 된다면
그땐 소설이 아니었다고 얘기해줄래?

표현의 타이밍

웃고 있으면
행복한 줄 알았어

괜찮다고 말하면
괜찮은 줄 알았어

그렇다고 하길래
진짜 그런 줄 알았어

말하지 않으면 모르니깐
표현하지 않으면 알 수 없으니깐

내가 알아차렸을 땐
그땐 이미 되돌이킬 수 없더라

내가 눈치가 없어서
네가 알아주길 바라서.

기가 막힌 인맥

어쩌다 가끔
설명하기 힘든 아픔과 슬픔이 찾아오곤 해
그 힘듦을 괜히 누군가에게
얘기하지도 않았는데

기가 막힌 타이밍에
내 인생에 자연스레 스며들어
힘이 되어 주는 사람들이 있지

너흰 너희가
나에게 얼마나 소중하고
고마운 존재인지 잘 모를 거야

이젠 내가 너희들에게
기가 막힌 타이밍에
기가 막힌 인맥이 되어 주려고.

가장 기분 좋은 이유

"무슨 일이야?"
"그냥 형 생각나서 연락해봤어요."

지인이 나에게 연락을 하는 이유 중
가장 기분 좋은 이유.

사람을 찾는 수많은 이유 중
가장 기분 좋은 이유

그냥 가만히 있어도 생각나는 그런 사람
나에게 그런 사람은 어떤 사람이 있고
누가 나를 그렇게 생각하고 있을까

그렇게 그냥 생각나는 사람에게
나도 오늘 자신 있게 연락해봐야지

"야, 그냥 생각나서 연락해봤다."

그래서 설렜고, 그래서 아팠다

처음에는 내가 생각했던
그런 사람인 줄 알아서

처음에는 내가 생각하지 못했던
그런 사람인 줄 알아서

알고 보니 내가 생각했던
그런 사람이어서

알고 보니 내가 생각하지 못했던
그런 사람이어서

그래서 설렜고
그래서 아팠다.

척

아무렇지 않은 척 그렇게 얘기하지 마
미련 없는 척
생각나지 않는 척
다른 사람 사랑할 수 있는 척

미친 듯이 사랑했던 우리가
서로가 없으면 안 될 것 같던 우리가
평생을 함께하기로 약속했던 우리가

이렇게 한순간에 남이 되는 게
난 받아들이기 너무 힘드니까

그러니깐
아무렇지 않은 척 그렇게 행복하게 지내지 마

"네가 굳이 그러지 않아도, 나 충분히 많이 아프다."

내 감정은 내가 결정해

네가 웃는다고 나도 웃어야 하는 건 아니잖아
네가 슬프다고 나도 슬퍼야 하는 건 아니잖아

내가 행복해서 너도 행복한 건 아니니깐
내가 우울해서 너도 우울한 건 아니니깐

너의 하루를
나의 하루를

네 기분대로
내 감정대로

결정하지 말아 주길.

원래 그런 사람이니깐

나는 원래 힘들면 안 되고
나는 원래 강해야 하고
나는 원래 웃기만 해야 하고
나는 원래 참아야 하는
나는 원래 그런 사람이다

나는 '원래' 그런 사람이니깐

원래 그런 나에게
가끔, 아주 가끔은
안부 한 번 물어봐 주면 안 될까?

그냥,
밥은 먹었는지
고민은 없는지
술 한잔하자든지

그런 말들이
'원래' 그런 나에게
정말 큰 힘이 될 테니 말이야.

그냥

안 한 게 아니라
못한 거였고
몰랐던 게 아니라
그럴 수밖에 없었던 거였어

네가 하는 모든 행동에
의미를 부여하면서도
내가 하는 모든 행동은
'그냥'일 수밖에 없었지

'그냥'이라는 말속에
얼마나 많은
의미가 담겨 있는지
넌 모를 거야

하지만
오늘도 여전히
'그냥' 그랬다고
말할 수밖에 없는 나니깐.

외로움 고마움 설렘

누군가 내게 다가왔을 때
나도 모르게 호감이 생길 때가 있다

그런데 그 호감이

오랫동안 연애를 하지 않아 생긴
외로움인지

늘 곁에서 힘이 되어 주어서 생긴
고마움인지

정말 그 사람이 좋아서 생긴
설렘인지

헷갈릴 때가 있다
그 이유가 뭐가 됐든 간에
타이밍 좋게 그 순간 내 곁에 있어 줬다면

그래도 편하게 내 마음을
표현해보는 게 낫지 않을까.

오늘도 행복한 사람입니다

행복했던 순간을 잠시 떠올려 주시겠어요?

장면이 떠올랐나요?
사람이 먼저 떠올랐나요?

장면이 바로 떠올랐다면
당신은 지금 행복할 준비가 되어있다는 거예요

혹시 사람이 먼저 떠올랐다면
그 사람과는 뭘 해도 행복할 거고요

행복한 순간을
떠올릴 수 있는 당신은
오늘도 행복한 사람입니다.

마음의 온도

날이 많이 선선해졌어요
평소 입지 않던 긴 옷을
꺼내 입기 시작했네요

마음도 선선해지는 것 같아
춥지 않고 딱 적당한 지금
마음이 더 추워지기 전에

평소 연락하지 못했던 사람들에게
연락을 꺼내 보는 건 어떨까요
마음이 조금이나마 따뜻해질 수 있게.

우연적인 운명

우연을 바라지도
운명을 믿지도 않아

그런데 네가
우연을 바라고
운명을 믿길래

우연인 척
운명인 척
다가갈 수밖에 없었어

내 노력으로 만든
우리의 우연적인 운명
이런 나라도 사랑해줄래?

오해

널 많이 좋아한다는 걸 알면
날 부담스러워해서
혹시 날 떠날까 봐
그래서 오늘도 아닌 척해야 할까 봐

난 이제 겨우 마음을 열었는데
넌 이제 마음이 없는 것 같아서
혹시 다른 사람 생겼을까 봐
그래서 오늘부터 아닌 척해야 할까 봐.

머피데이

그런 날 있잖아요
오늘만큼은
누군가에게 위로받고 싶은 날
술 한잔하고 싶은 날

그래서
용기 내어 연락했지만
'그냥' 연락해봤다고
얘기하는 그런 날

그런데 그날따라
친구들이 바빠서
약속 하나 잡히지 않아
더 우울해지는 그런 날.

그랬을 뿐이다

고민이 없었던 게 아니라
잘 들어줬을 뿐이고
항상 기분이 좋았던 게 아니라
그냥 자주 웃었을 뿐이다

몰랐던 게 아니라
모른 척할 수밖에 없었을 뿐이고
알고 있어도
말하지 않았을 뿐이다

먹고 싶은 게 없던 게 아니라
뭐든 잘 먹었을 뿐이고
하고 싶어도
티 내지 않았을 뿐이다

보이는 게 다가 아니다
누구나 좋아한다고 모두가 좋아하진 않는다는 것을
그러니 함부로 판단하지 말기를.

숨바꼭질

상처받지 않기 위해
오늘도 내 마음을 숨겼다

그리고

상처 주지 않기 위해
오늘도 네 마음을 숨겼다.

우리의 하루

즐거웠던 너의 하루
행복했던 너의 하루
황홀했던 너의 하루
추억하고 싶은 너의 그 모든 하루에 내가 있어 줄게

정말 소중한 너의 인생이
정말 가치 있는 나의 인생이
'우리'로 가득 찰 수 있도록
서로의 하루에 늘 함께 있어 주자

고마워
내 곁으로 와줘서
사랑할게
네 곁에서 영원히.

눈치

모르면 물어보세요.
모른다고 하면 알려주세요

나만 모르는 것 같아서
물어보면 뭔가 부끄러워서

아인슈패너가
스패너와 같은 공구인지
커피인지
헷갈리더라도

다들 마신다고 하면
커피를 마시지 않는 나도
같은 거로 달라고 할 테니까요.

혼자라는 잘못

잠시 걸음을 멈추고
뒤돌아봤다

"어? 아무도 없네"

분명 함께 걷기 시작한 사람들이 있었는데
갑자기 사라졌다

괜히 불안해진다
괜히 초조해진다

난 아무 잘못도 하지 않았는데
'혼자'라는 이유만으로
불안하고 초조해진다.

이젠
혼자 남았다는 것 자체가
잘못이 되어 버린 걸까

난 무엇을 놓치고 있던 걸까.

미안해 고마워 사랑해

정말 자존심 상하고 화가 나지만
먼저 손 내밀 수 있는 용기 '미안해'

머릿속으론 몇 번을 되뇌었지만,
늘 찾아오는 망설임 '고마워'

나에겐 너무 소중한 너지만
표현하지 못했던 내 진심 '사랑해'

배려의 착각

네가 했던 배려가
날 오해시키기에 충분했거든
나한테만 그런 줄 알았으니까
"왜 그랬어?"

내가 했던 배려가
너에 대한 내 관심이었거든
너한테만 유독 잘해줬던 건데
"왜 몰랐어?"

지금까지

내가 힘들 때
소주 한잔 같이해줄 사람이 있다는 것

내가 기쁠 때
밤새 놀아줄 친구가 있다는 것

내가 고민이 많을 때
자기 고민인 마냥 생각해줄 사람이 있다는 것

지금까지
참 잘 살아왔다는 것.

기억을 추억할 수 있도록

기억은
가만히 아주 가만히
가라앉아 있는 것이라면

추억은
조금씩 아주 조금씩
기억을 끄집어내는 것이다

기억이 가라앉지 않게
기억이 사라지지 않게
추억하고 싶다
지금 이 순간을

기억을 추억할 수 있도록
매 순간을 추억으로 남길 수 있도록
기억을 후회로 상기시키지 않도록.

시간이 흘러도

흐르는 시간 속에 몸을 맡겨도
되지 않는 게 하나 있어

그렇게 흐른 시간 속에
변함없이 찾아온 너를 지우는 일.

그게 내 최선이니까

나를 보며 환하게 웃어주니까
화내고 짜증 내도 웃어주니까
이런 나도 사랑해주니까

더 미안하기 싫어서
더 상처 주기 싫어서

더 이상 웃어주지 않는 게
지금 내가 할 수 있는 최선이니까.

선물

선물보다는 선물을 준비하며
나를 생각했을 마음이 고마워서
그래서 그 선물까지 고마워진다는 것.

종착역이 행복인 기차표

종착역이 '행복'인 기차표를 예매했다

'도전'이라 쓰고
'하고 싶은 일'이라고 읽는 역을 시작으로

'실패'라 쓰고
'경험'이라고 읽는 역을 지나

'성공'이라 쓰고
'충분히 잘하고 있어'라고 읽는 역에 내린다

알고 보니 종착역도 '행복'이라 쓰고
'일상'이라고 읽으면 되더라.

나를 위한 시간

닫히지 않을 것만 같던 캐리어를
온몸으로 꾸역꾸역 눌러 잠근 뒤
설렘과 함께 집을 나선다

공항으로 가는 발걸음
기차역으로 가는 발걸음
터미널로 가는 발걸음

이 설레는 기분을
어찌 말로 다 표현하겠는가
그저 발걸음 하나에 모든 설렘을 담아본다.

꼰대 상사
엄마의 잔소리
지루한 일상에서 벗어난
꿈같은 나날

눈부신 일광 아래 나의 몸을 맡기고
눈부신 월광 아래 나의 마음을 맡겨 본다

지금까지 고생했던 나를 위해
지금도 고생하는 나를 위해
앞으로도 고생할 나를 위해

모든 걸 잊고,
지금 이 시간만큼은
온전히 나를 위해 본다.

매일 아침

매일 아침 알람이 울린다
매일 아침 알람을 끈다

매일 아침 전화가 온다
매일 아침 전화를 받는다

매일 아침 울리는 알람
매일 아침 걸려오는 전화

매일 아침 알람을 끄고
매일 아침 전화를 받는다

이젠 너의 전화 없인
일어나지 못하는 매일 아침.

행복의 시제

현재의 행복한 시간들이 모여
추억이 된다면

과거를 추억하는 시간들이 모여
다시 현재의 행복이 되겠지

그렇게 현재의 행복이
훗날 미래의 행복이 될 거야.

깜빡이

깜빡이가 켜졌다

들어오는 줄 알고
속도를 낮추고 기다렸다

깜빡이가 꺼졌다

들어오지 않는 줄 알고
속도를 높여 지나가려는 순간

다시
깜빡이를 켰다

이미 나는
지나가 버렸다.

이별준비

아픔이
더 큰 아픔이 되지 않도록

슬픔이
더 큰 슬픔이 되지 않도록

흐르는 눈물을
닦지 말아줘

내 모든 눈물이
흐르고 나면

그땐
웃어볼게.

봄을 스치다

따스한 바람이
내 볼을 스친다
설렌다

설레는 내 맘 안고
너의 볼을 스친다
두근거린다

설레고 두근거리는 맘 안고
우리의 봄을 스친다.

지금, 이 순간

분홍빛의 아름다운 노을이 지는 저녁
인적 드문 골목 카페에서
마침,
가장 좋아하는 팝송이 흘러나와요

매일 지나치는 카페지만
단 한 번도 가보지 않았던 카페
훌륭한 노래 선곡 덕에
나도 모르게 커피 한 잔을 주문합니다

어?
저녁이라 사람이 북적일 줄 알았는데
아무도 없네요
이 넓은 공간을 혼자 독차지한 것 같아
괜히 기분이 좋아집니다.

카페에서 흘러나오는 노래가
잠깐 멈췄네요

그 순간,
모든 것이 고요해집니다

지금 이 시간도
지금 이 장소도
지금 내 마음까지, 모두

고요한 마음
고요한 지금

이 순간을 기억하고 싶어서
사진 한 장 남겨봅니다.

스며들다

수없이 스쳐 지나가는
많은 사람들 속에서

내가 온전히 너에게만
집중할 수 있었다는 건

정신없이 흘러가는
바쁜 시간 속에서

네가 완전히
내 인생에 스며들었다는 것.

계륵

무더운 여름
열대야 덕에
에어컨을 켠다

방이 작은 탓에
약하게 틀어도 금방 추워져
에어컨을 끈다

다시 덥다
다시 켠다
다시 춥다
다시 끈다

켜니까 춥고
끄니까 덥다

나도 너에게
그런 존재였던 걸까

만나긴 싫어도
없으면 아쉬운.

계절의 변화를 느낄 수 있는 여유

창밖으로
지나가는 사람들을 유심히 본다

이어폰을 끼고 여유롭게 걷는 학생
전화하면서 얼굴을 찌푸리는 직장인
서로 기분 좋게 대화하는 친구
식사 후 커피 한잔하는 동료
주머니에 손을 넣고 정신없이 지나가는 아저씨
달달하게 손잡고 마음을 주고받는 커플

다들 여러 가지 감정을 느끼며
그 순간순간을 살아가고 있다

하지만 그 감정이 무엇인지조차 모른 체
정신없이 살아가고 있지는 않을까

하루하루 흘러넘치는 물을 닦기만 할 뿐
수도꼭지를 잠글 여유가 없지는 않을까

잠시 쉬어갈 수 있는
잠시 뒤돌아볼 수 있는 여유가 필요하다

계절의 변화를
'덥다', '춥다'로만 느끼지 않고

봄날의 꽃
여름의 태양
가을의 단풍
겨울의 눈

이 모든 것들이 얼마나

예쁘고
눈부시고
포근하고
아름다운지
느껴질 수 있도록.

그대는 돌아보지 않고 찬란하게 진다

2021년 9월 8일 초판 1쇄 발행
2021년 9월 8일 초판 1쇄 인쇄

지은이		배성희, 황의종, 송휘령, 공준식
책임편집		송세아
편집		이향, 박소라
제작		theambitious factory
인쇄		아레스트
펴낸이		이장우
펴낸곳		꿈공장 플러스
출판등록		제 406-2017-000160호
주소		서울시 성북구 보국문로 16가길 43-20 꿈공장1층
전화		010-4679-2734
팩스		031-624-4527
이메일		ceo@dreambooks.kr
홈페이지		www.dreambooks.kr
인스타그램		@dreambooks.ceo

ISBN |979-11-89129-95-8

정 가 |12,500원